献给玛丽昂

我依然怀着朦胧的希望（虽然我知道它并不理智），那就是在永远的静默之前，写出我从儿时就梦想要写的那本令人赞叹的、充满温情的书。

——安德烈·莫洛亚
（写于76岁时）

生活三部曲
美好的生活

[法] 让-克劳德·弗洛克 著 周克希 译

北京联合出版公司

有人在吗？

噢，一个喜欢看书的小姑娘！

别待在那儿呀，
跟我一起到书里来！

你瞧着，我们要一起创作这本书。
它叫"美好的生活"……

美好的生活，就是你自己选择的生活。
你说，你喜欢和谁在一起？
来个小动物和我们一起，好吗？

来只兔子！

瞧，它来了，哎……别走呀！

你们快从书里出去!

可它还是太大了,
我想要只小兔子……

这只你喜欢吗?

喜欢,太喜欢了!

你想和它住在哪儿?

树林里的一座小屋……

像这样的林中小屋？

哦，对，就是这样的！

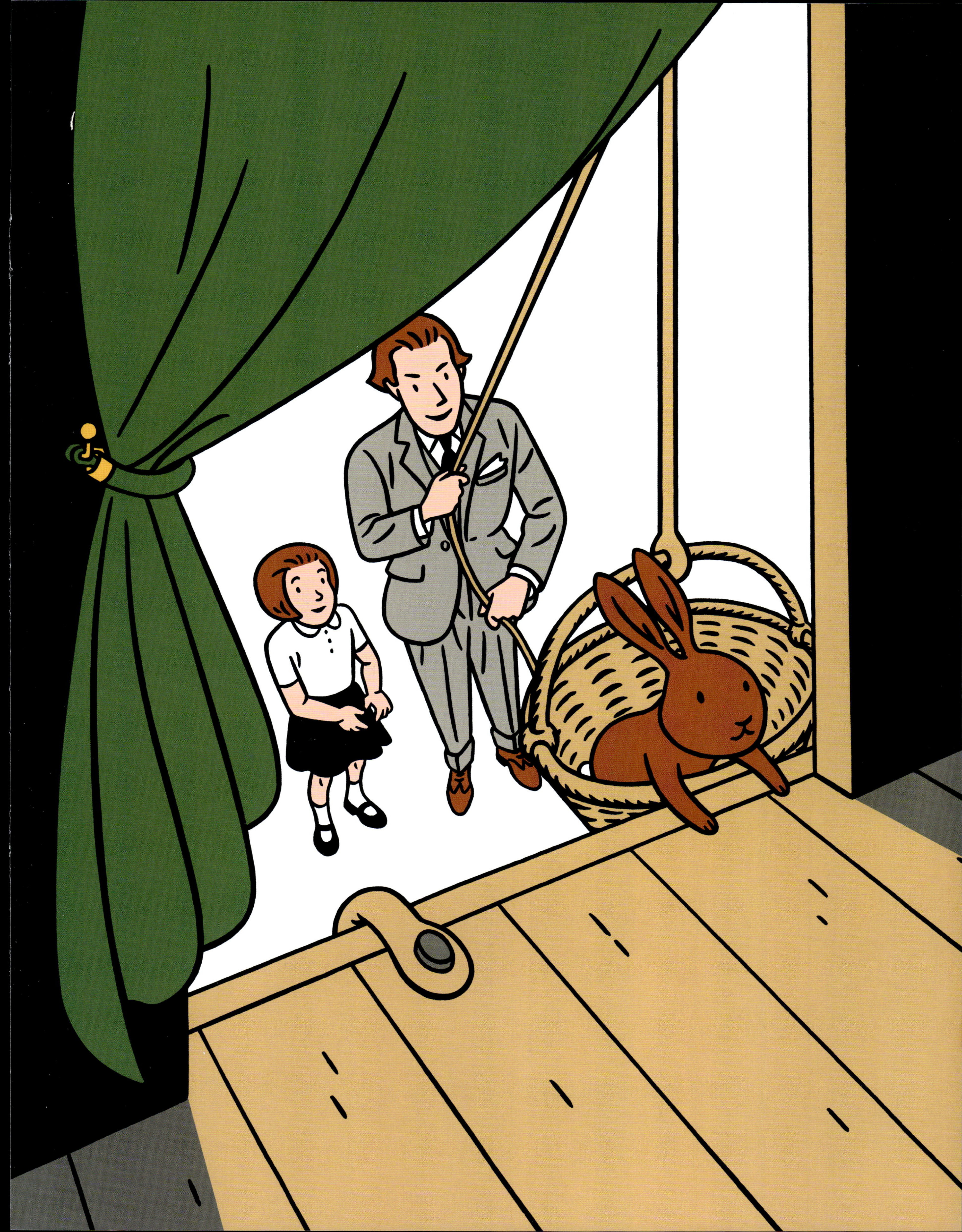

你们先住下，两页之后我会回来的。

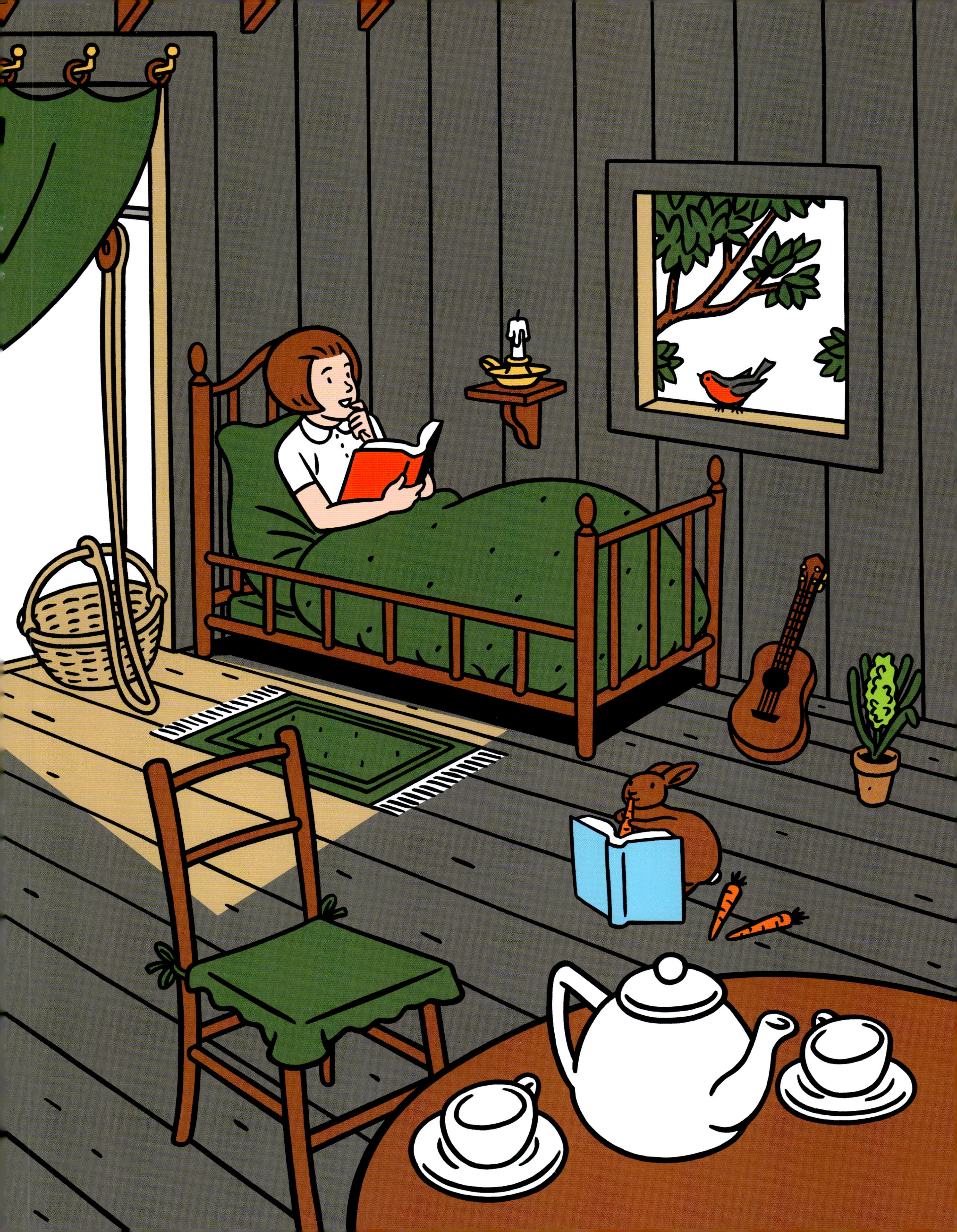

嗨，下来走走吧！

没问题！万事皆有可能，
只要你想……

这车挺漂亮，可就是太慢。这样没法走远路！

还有别的出行方式,也很有趣,
而且快得多……

有哪些?

比如说，骑马……

或者开车。

不过最简单的方法就是飞行。
像这样举起双臂……

瞧，这不就升起来了！

现在该你了!
对,就这样。

我得带上我的兔子。

我们可以随意飞翔，不用沿着道路前行。
空气多清新……

视野多宽广！

我们可以就近观察动物……

也可以远远地眺望它们。

觉得累了，或者想要观赏一下景色，就可以停下歇一歇。

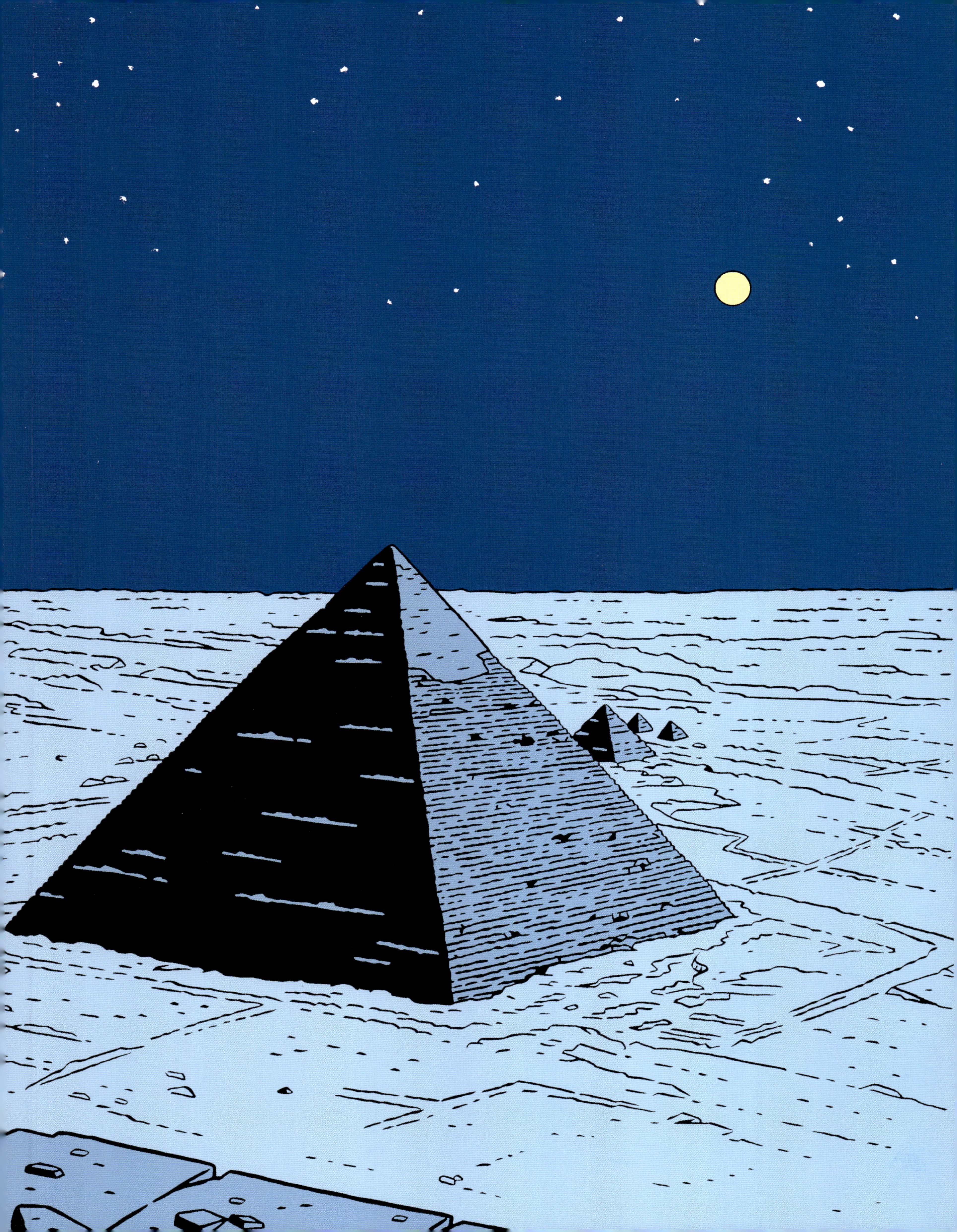

飞行过后,再见到自家的房子,
会感到格外兴奋。
回去喝茶啰……

美好的生活，对你意味着什么？
对我又意味着什么？
我们轮流举些例子。你先说……

美好的生活，就是穿公主的长裙……

但也穿时尚的衣服。

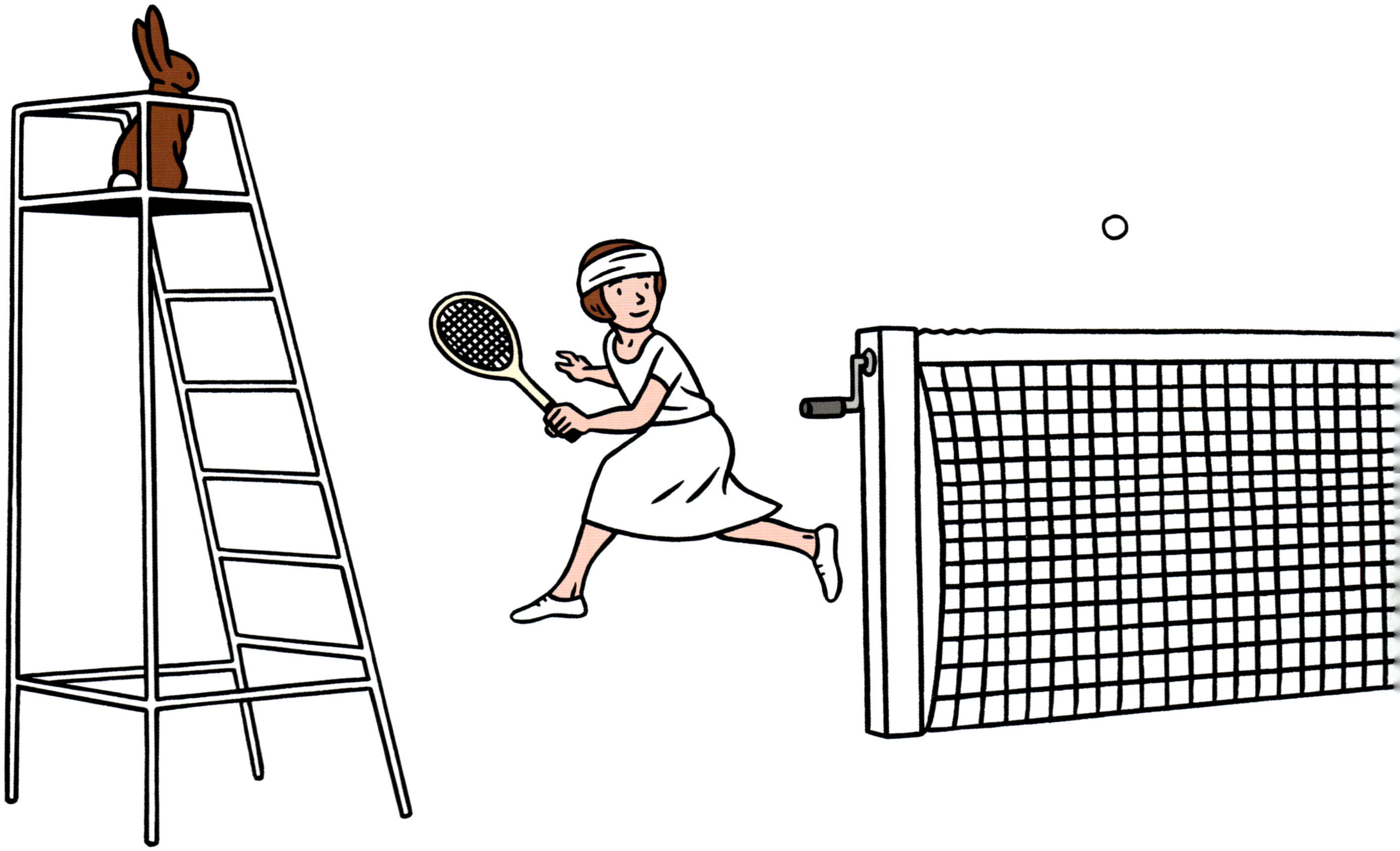

美好的生活，
就是网球打得像让·波洛特拉和
苏珊娜·朗格朗一样棒。

美好的生活,
就是荡秋千荡好长好长时间,
而且荡得很高很高。

美好的生活，
就是到卢森堡公园去散步。

美好的生活,
就是想吃多少冰淇淋,
就吃多少冰淇淋。

美好的生活，就是弹奏肖邦和埃里克·萨蒂的曲子。

美好的生活，就是骑在大象背上慢慢往前走。

美好的生活，就是让心爱的人的形象永远留在心间。

美好的生活，就是到纽约中央公园的溜冰场去溜冰。

美好的生活，就是在英格兰乡间有一座小小的别墅。

体育

泰晤士报

美好的生活，就是当人猿泰山的女儿。

美好的生活，就是到苏格兰的荒原去漫游。

美好的生活，就是像印第安人那样在雨中跳舞。

美好的生活，就是和你一起完成这本书。

美好的生活，就是躺在一张舒适的床上，听好听的故事。

说到床,我倒想到了,是你该上床睡觉的时间了吧?

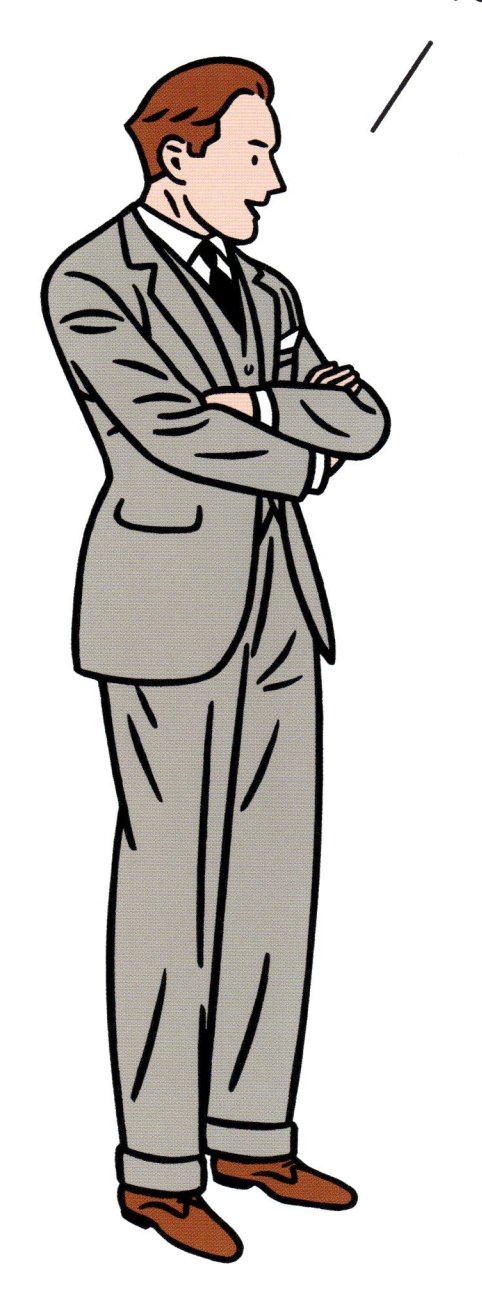

当然，带上它吧。它是你的。

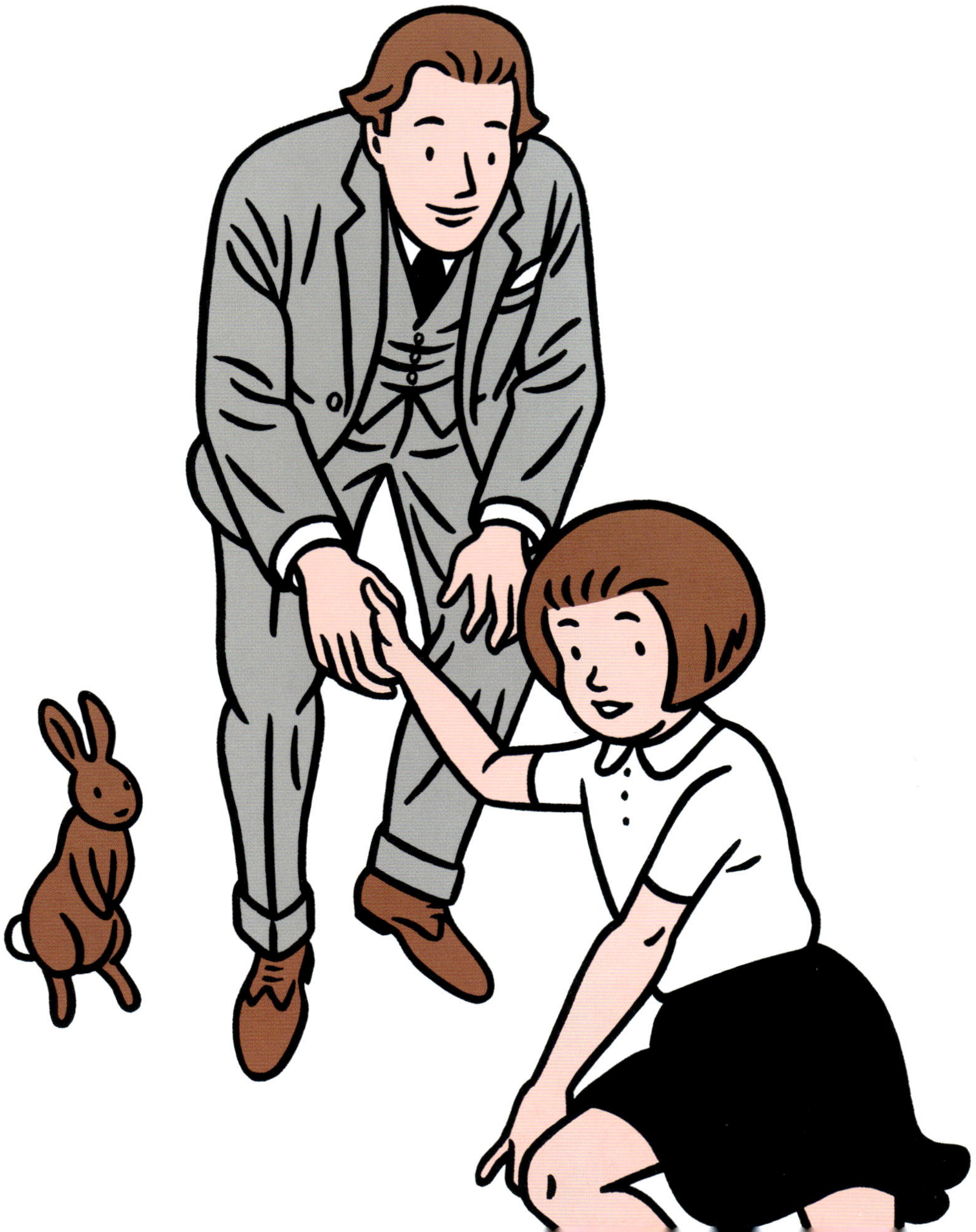

别忘了你的兔子。

晚安！

再见!

让－克劳德·弗洛克（Jean-Claude Floch），法国著名漫画家、插画家、作家。

因其擅长的"清晰线条"画风而风行欧洲，并以Floc'h被人熟知。

在巴黎国立高等装饰艺术学院学习后，他致力于为新闻报刊和图书杂志绘制插图。此后，他把自己的才华运用到电影海报、广告、杂志等各个领域，同时还出版了多部漫画作品。曾多次受邀为美国《纽约客》（*The New Yorker*）杂志绘制杂志封面。

精致的图形，鲜明而有文化氛围的背景，拥有英式风度、优雅又有魅力的主要人物，使其简约格调的作品风格极为突出。被认为是最优雅和不可错过的当代插画家之一。

现居住在巴黎。

周克希，著名法语文学翻译家，上海译文出版社编审。

从复旦大学数学系毕业后，在华东师范大学数学系任教，其间赴法国巴黎高师进修黎曼几何。回国后开始在教学之余翻译数学与文学作品。终因热爱翻译，调至上海译文出版社任外国文学编辑。译有多部法国文学作品，其译笔准确传神，清新雅致，举重若轻，为读者、评论家所推崇。

代表性译作有福楼拜的《包法利夫人》，大仲马的《基督山伯爵》《三剑客》，普鲁斯特系列长篇小说《追寻逝去的时光》第一卷、第二卷、第五卷以及儿童文学《小王子》等；出版有随笔集《译边草》和手稿集《译之痕》。

图书在版编目（CIP）数据

美好的生活 /（法）让-克劳德·弗洛克著；周克希译. —北京：北京联合出版公司，2016.8
（生活三部曲）
ISBN 978-7-5502-7763-2

Ⅰ.①美… Ⅱ.①让… ②周… Ⅲ.①儿童文学—图画故事—法国—现代 Ⅳ.①I565.85

中国版本图书馆CIP数据核字（2016）第107177号

La Belle Vie
© 2014, Editions du Seuil, Paris.
Current Chinese translation rights arranged through
Diva International, Paris 巴黎迪法国际版权代理 (www.divas-books.com)
Simplified Chinese translation edition published by Ginkgo (Beijing) Book Co., Ltd.

本书中文简体版权归属于银杏树下（北京）图书有限责任公司
北京市版权局著作权合同登记号：图字01-2016-4443

美好的生活

著者：［法］让-克劳德·弗洛克
译者：周克希
编译：浪花朵朵童书
选题策划：北京浪花朵朵文化传播有限公司
出版统筹：吴兴元
责任编辑：李 征　　特约编辑：梁 燕
营销推广：ONEBOOK　　装帧制造：墨白空间

北京联合出版公司出版
（北京市西城区德外大街83号楼9层　100088）
北京盛通印刷股份有限公司印刷　新华书店经销
字数1千字　787毫米×1092毫米　1/8　8印张
2016年10月第1版　2016年10月第1次印刷
ISBN 978-7-5502-7763-2
定价：68.00元

后浪出版咨询(北京)有限责任公司常年法律顾问：北京大成律师事务所　周天晖 copyright@hinabook.com
未经许可，不得以任何方式复制或抄袭本书部分或全部内容
版权所有，侵权必究
本书若有质量问题，请与本公司图书销售中心联系调换。电话：010-64010019